送给全世界最伟大的爸爸和可爱的孩子们。

——王泽瑞

没什么大不了的

文 王泽瑞
图 王彦开

希望出版社

我的爸爸总是一副满不在乎的表情，他常常挂在嘴边的一句话就是："没什么大不了的。"

没什么大不了的

有一次，我被同学的大皮球砸到了头。可他却轻描淡写地说："宝贝，这没什么大不了的，擦点药就好了。"

没什么大不了的

没什么大不了的

还有一次我遇到一只凶恶的大狗，这极有可能是汪星人来侵略地球了！

可他却还是若无其事地说："侵略地球？噢！这没什么大不了的。"

没什么大不了的，没什么大不了的，总是没什么大不了的！哼！爸爸根本就不关心我！

有一天，爸爸带我去买零食。回来的路上，我发现有一只巨大无比的鸟跟在我们后边，可爸爸却还是一副泰然自若的样子。

也许是爸爸的态度激怒了大鸟，它一下子就
抓起我们飞向了天空。我害怕地大喊："救命呀！
我们要被吃掉啦！"可爸爸只是握紧了我的手说：
"别害怕，这没什么大不了的！"

大鸟带着我们飞过了高山，越过了海洋，经过了一片被皑皑白雪覆盖的森林。突然，一声巨响，大鸟被吓了一跳，它把我们两个都扔了下去。

我恐惧地闭上了眼睛，爸爸却用力抱紧我，笑着说："这没什么大不了的，宝贝。看！我们在飞翔。"

可是我们并没有落在雪地上，而是落到了一个巨大雪怪的手里。

"爸爸，是雪怪，他会吃掉我们！"

"这没什么大不了的，动动脑筋我们就可以化解危机，宝贝。"爸爸边说边把装有零食的袋子扔到了雪怪的嘴里。

实在是太幸运了，雪怪的牙齿被零食袋中黏黏的太妃糖给粘住了！他气急败坏地把我们丢了出去。

我们在雪坡上滚呀滚，滚成了一个大雪球。

13

雪球冲向了悬崖，我们又再次高高飞起。

谢天谢地，我们稳稳地落在了一块海洋浮冰上。

我们顺着洋流漂了一会儿，温暖的阳光让浮冰越变越小。我问："爸爸，这也没什么大不了吗？"

他淡定自若地回答："那当然，我们总会有办法的，宝贝。"

话音刚落，一艘海盗船就出现在我们面前。"爸爸，是海盗船！上面有凶恶的海盗！"爸爸耸了耸肩："凶恶的海盗？这没什么大不了的，他们只能吓到害怕他们的人罢了。"

海盗船长暴跳如雷："竟然敢藐视地球上最尊贵的海盗！让你们见识见识我的厉害！"他边发脾气边把我们塞进了大炮里。

我和爸爸被发射到了空中，可爸爸却不慌不忙地说："这没什么大不了的，只是再次启程而已，或许等一下我们就能遇到可以帮助我们的人啦！"虽然我还是很害怕，但我开始有点相信他说的话了。

很快，我们竟然发现了那只抓走我们的大鸟。我指着大鸟对爸爸说："或许我可以问问它，是否愿意带我们回家。"爸爸点了点头，说："勇敢地去问吧，宝贝，即使被拒绝也没有关系，因为这没什么大不了的。"

出乎意料，大鸟竟然愉快的答应送我们回家，并让我们趴在它背上最柔软的羽毛里，那里暖和极了。

我们到家的时候，夜幕已经降临。不知道妈妈有没有做好晚餐，但愿今天没有我讨厌吃的青椒和南瓜。不过就算有，也没什么大不了的，因为我早就饿扁啦！

一进家门，爸爸就着急地往自己的房间跑，我问他怎么了，他支支吾吾地回答："哦，没什么大不了的，宝贝，你先去吃饭吧！"说完就关上了房门。

我悄悄地推开房门，看到爸爸的身上有好多伤口，都是为了保护我而受的伤。他龇着牙喃喃自语："为了孩子，这没什么大不了的。"

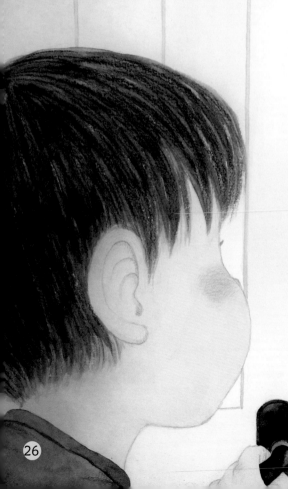

26

"爸爸，我来帮你！"我小心翼翼地帮爸爸在背上贴了一块创可贴，"有时候我也可以保护你呀，因为这没什么大不了的！"

27

"谢谢宝贝！"爸爸深深地将我拥入怀中，我也抱紧了爸爸。爸爸的怀抱好温暖呀！

没什么大不了的

　　我的爸爸是一名插画家，他的工作非常非常繁忙，每天晚上我睡觉时他在画画，早上我起床时他还是在画画。在我的眼里，爸爸是一个无所不能的超人，永远都不觉得累。爸爸说："只有父母扛起肩上的责任，才能给孩子树立正确的榜样。如果遇到困难那就迎难而上吧，没什么大不了的！"长大后我也想成为爸爸那样的人，这也是我创作这本绘本的初衷，我想把爸爸最美好最坚强的一面展现出来。这是我和爸爸合作创作的第一本绘本，送给这个平凡世界里的每个超级英雄，祝愿天下所有父亲幸福安康！

　　大家好，我是王彦开，文字作者王泽瑞的爸爸。当我看到孩子的创作笔记时，既惊喜又感动。他仿佛从一个年少不知愁滋味的孩童变成了一个懂得去更深层次理解、思考的大人。在现实生活中，我们对未知事物总会产生恐惧。不同的是，勇敢的人会怀揣着畏惧继续前行，而懦弱的人会因为畏惧而后退。孩子们，成长是一场冒险，逃避和眼泪不能解决任何问题，我们唯一的选择就是勇敢和乐观地面对困难！所以勇敢地去尝试吧，没什么大不了的。

图书在版编目（CIP）数据

没什么大不了的 / 王泽瑞文 ；王彦开图 . -- 太原 ：
希望出版社，2021.10
ISBN 978-7-5379-8596-3

Ⅰ．①没… Ⅱ．①王… ②王… Ⅲ．①儿童故事—图
画故事—中国—当代 Ⅳ．① I287.8

中国版本图书馆 CIP 数据核字（2021）第 184534 号

没什么大不了的
MEISHENMEDABULIAODE

文 王泽瑞　图 王彦开

出 版 人：王　琦	责任编辑：安　星
美术编辑：安　星	复　　审：柴晓敏
终　　审：傅晓明	印制总监：刘一新　李世信

出版发行：希望出版社

地　　址：山西省太原市建设南路 21 号　　印　　刷：山西基因包装印刷科技股份有限公司

开　　本：787mm×1092mm 1/16　　印　　张：2.5

版　　次：2021 年 10 月第 1 版　　标准书号：ISBN 978-7-5379-8596-3

印　　次：2021 年 10 月第 1 次印刷　　定　　价：38.00 元